Imprimé en Belgique
Dépôt légal février 1994 ; D. 1994/0053/8
Déposé au Ministère de la Justice, Paris
(loi n° 49.956 du 16 juillet 1949 sur les publications destinées à la jeunesse.)

HISTOIRE D'ÉTÉ

Théo à la mer

C'est la première fois que Thomas
va passer ses vacances à la mer.
Il arrive à la plage, fier de sa bouée-canard…

Rosine, la pieuvre, lui fait un signe amical.
" Tu viens nager avec moi ? "

" Oh oui ! Je veux bien ! ", dit Thomas enchanté.

Comme il est agréable de flotter
sur l'eau !
" Comment as-tu appris à nager ? ",
demande Thomas.

" C'est facile ", répond Rosine, en
s'asseyant sur le bord du canard.
" Tu bats des pieds comme ça,
et tu avances.
Tu vois ? C'est très facile ! "

" Comme tu réussis bien les pâtés ! ", dit Thomas.
" Fais-en encore ! C'est très amusant quand tu les fais avec toutes tes pattes. "

" Regarde bien… ", annonce Rosine,
qui se met à jongler avec tous les
objets de la plage.

Thomas rit tellement qu'il en tombe
à la renverse.
" Tu es extraordinaire ", dit-il.

" Viens, on va se balancer. Tu n'as pas peur ? ", demande la pieuvre.
" Ah ! Non ! J'adore ça ! Continue ! "

" Un peu de sport, maintenant ",
propose la pieuvre.
" Tu me chatouilles avec tes
ventouses ! ", crie Thomas en
riant.
La crabe qui les regarde aimerait
bien en faire autant : " Excusez-
moi de vous interrompre, dit-il,
est-ce que je peux essayer ? "
Et ils se balancent tous les trois.

" Merci Rosine ! De tout mon cœur !
J'aime bien jouer avec toi ", dit Thomas.
" C'est bon, tes câlins ", répond Rosine.

Le marchand de glace est très
content : Rosine a choisi 10 boules.
Ils pourront goûter à tous les
parfums.
" J'adore la glace à la vanille ",
dit Thomas.
" Et moi, c'est la framboise ma
préférée ", ajoute Rosine.

" Monsieur ! Monsieur !
Donnez-nous les ballons, s'il vous plaît.
Je les prends tous ", dit Rosine.
" Oh oui ! Ils sont beaux ",
approuve Thomas.

" Attention Rosine ! Tu t'envoles
avec les ballons ", crie Thomas.
" C'est merveilleux ! ", dit la pieuvre.
" Je vole ! Tu peux lâcher la corde. "

" Tu es belle comme le soleil !
Au revoir, Rosine. A demain ! "